KB196466

시인 박병대

방송통신대학교 국문학과 졸업

2011년《대한문학세계》로 등단

우리시 회원, 불교문예작가회 회원

풀밭 동인지 『강가에 물구나무 서서』

시집 『절벽』 『푸른 물고기의 슬픔』

『단풍잎 편지』 『정릉천 물소리』

서간문 『獄으로 보낸 편지 獄에서 온 편지』

E-mail : bcdegl@hanmail.net

* 표지사진 : 시인 박병대

정릉 마을

– 신덕고황후 강 씨 부인

박병대

불교문예

  정릉마을의 유래는 고려 말기 손 씨와 왕 씨가 귀양 와서 마을이 생겼고 정릉 3동 시장 부근에는 정도 600년 자칭 원 토박이 밀양 손 씨들이 많아지면서 손가장, 손가정으로 불려졌다.

  일제 강점기에는 살한이, 사을한이, 사아리로 불려지다 신덕왕후의 정릉이 경기도 양주군 성북면 사한리로 이장되어 정릉과 능말을 혼용하여 사용하다 신덕왕후 능호인 정릉이 마을 이름으로 정착되었다.

  나는 6·25 전쟁으로 부친께서 피난 가신 고향 대전에서 태어나 네 살 되던 해 부모님 사시던 정릉으로 부모님 등에 업혀 올라와 66년간 정릉에 살며 노년에 이르게 되었다.

  뛰어놀던 빡빡산과 많은 골목은 아파트 밑으로 사라지고 뒹굴며 놀던 모래밭과 홀딱 벗고 개헤엄 치던 정릉천은 복개되어 옛 시절의 많은 추억들이 묻히고 정릉터널을 지나가는 내부순환도로가 생겨 정릉마을의 망실된 옛 풍경은 기억에만 있다.

  정릉에 평생 살았으니 추억의 한 자리를 차지하고 있는 정릉마을을 주제로 서사시를 써보라는 벗의 권유에 미천한 자질로 덤벼들어 추억을 더듬어가며 1부에서는 정릉 1동부터 4동까지 정릉마을의 이야기를 쓰게 되었고 2부에서는 정릉 2동에 신덕고황후의 능이 있어 역사적 사건들도 찾아가며 신덕왕후 강 씨 부인의 이야기를 서술하였다.

어린 시절에 신덕왕후의 정릉으로 놀러 다니며 돌보지 않아 헐벗은 능침에 올라가 아래로 구르기도 하고 바지엉덩이가 헤지게 미끄럼 타고 이곳저곳 뛰놀다 갈증 나면 약수터 물 마시고 산 위에서 흐르는 물이 폭포로 떨어지는 능 안의 환벽천에서 옷 입은 채 폭포에 젖기도 하였다.

정릉은 2009년 6월 30일 유네스코 세계문화유산으로 등재되어 관리 되면서부터 헐벗은 능침에 잔디도 입혀지고 석물도 갖춰지니 아름다운 모습에 마음이 아련해지고 능 주위로 산책로 조성과 잘 가꾸어진 울울창창한 나무들로 하여 공해에서 벗어난 맑은 공기의 휴식터로도 훌륭하여 방문객들이 끊이지 않으니 격세지감이란 말은 이를 두고 하는 말이 아니겠는가.

　사료에 의존하여 서술하다 보니 같은 사건에 연도가 달리 있기도 하여 적합하겠다는 연대에 자의적인 결정으로 기술했으니 미진한 부분이 있더라도 혜량해 주시기를 부탁드린다.

　2021년 여름에

　영락헌靈樂軒에서 박병대 합장

|차례|

■ 작가의 말

제1부

정릉마을의 유래와 개요

정릉은 고려 말 손 씨와 왕 씨가 귀양 와 마을이 생겼고
정도 500년 자칭 원토박이 밀양 손 씨가 많아지며
손가정孫哥亭으로 불려졌다 정동에 있던 정릉이
경기도 양주군 성북면 사한리로 천장된 후
일제 강점기에 살한이, 사을한이, 사아리로 불렸으나
독립 후에는 정릉과 능말을 혼용하여 사용하다
국가의 행정구역 재정비와 함께 행정구역의 명칭이 개정되어
신덕고황후의 능호인 정릉이 마을 이름으로 명명되었다

미아리고개에서 북한산 사이 살한이 마을로 불렸던
정릉마을의 행정구역은 1동부터 4동까지 있다
6·25전쟁으로 부친께서 고향인 대전에서 피난살이 하실 때
나는 1952년에 태어나 네 살 된 해에 부모님 등에 업혀 온
정릉 1동에서 66년째 거주하고 있다
정릉 집에서 잠들지 못하고 칭얼대고 있노라면
야경꾼이 야경 돌며 딱 딱 나무토막 치는 소리에
어머니는 귀신 왔다며 다독거려 잠재우셨고

깊은 겨울밤에는 "찹싸~알~떠~억 메밀~묵" 소리도 들렸다

정릉 1동은 아리랑고개와 미아리고개 사이에 위치해 있다
1960년대 빡빡산에 의지한 판잣집과 초가집이
어우러져 있는 아래에 영단주택과 한옥 사이에는
우마차 다니는 신작로(행길)가 있었다
한옥의 골목길 벗어나면 먼지 날리며
버스와 자동차 다니는 비포장도로 아래 정릉천 건너편에는
숭덕초등(국민)학교 오른편 민둥산자락 길 따라
길음 시장을 향하여 판잣집이 자리 잡고 있었다
정릉 1동의 가옥 분포는 빡빡산 자락에
초가집과 판잣집이 있었고 평지로 내려서면
양옥집의 영단주택과 신작로(행길) 건너에 한옥집이 있었고
정릉천 건너 서울숭덕초등(국민)학교 오른편 담장을 따라
서경대 가는 길 오른편에
대리석으로 지은 2층 슬라브집 동방주택이 있었다

현재 가옥이 있던 자리는 아파트가 들어섰고
양옥집의 영단주택은 다가구 주택으로 변모되어
골목길만 유일하게 추억의 한 토막으로 살아있다

정릉 1동과 경계한 길음 시장은
정릉 1동 마을주민들이 신작로(행길) 길을 걸어서
자동차 도로와 만나는 곳의 정릉천에 놓인
폭1.5m의 목木다리를 건너 장을 보기도 하였다
정릉천 건너편 주민들은 민둥산자락 아래 정릉천변의
폭 1m의 길을 이용해 장을 보았다
신경림 시인은 어머님이 동방주택 길에서 내려와
이 길로 장 보러 길음 시장에 다녀오시는 정경을
시로 쓰기도 하였으며
정릉 2동의 숭덕초등(국민)학교 등하굣길이기도 하였다
재학생이 전국에서 제일 많아 교실 하나에 3개 반이
아침반 점심반 저녁반으로 나뉘어 3부제 수업을 하였고
운동장에서는 여름날의 저녁 무렵에 영화상영도 하였고

국회의원 선거철에는 입후보자가 연설을 하기도 하였다

정릉천 목木다리 쪽에서는 모래밭에 포장치고 서커스공연도

하였는데 유명했던 동춘서커스단이었던 것 같다

서울 숭덕초등학교는 서울 성북구 정릉로 279

(정릉 2동 173)에 위치한 정릉에서 가장 오래된 초등학교로

1945년 5월 14일 개교하여 1949년 7월 20일

제1회 졸업생을 배출하였다

나의 큰형님이 1회, 나는 17회, 동생은 21회 졸업생이다

1950년 후반 공영주택 건설로 인구가 폭발적으로 증가하여

당시 숭덕국민학교는 3부제 수업을 하였고

123학급에 1만 1천여명의 어린이들이 다니고 있었다

1962년 3월 28일 서울 미아국민학교로 1,628명

1967년 12월 24일 서울 청덕국민학교로 3,399명

1986년 3월 3일 서울 정수국민학교로 630명을

분교하여 분리하였다

2020년 2월에 제72회 졸업식을 진행하고

누적 졸업생 44,736명을 배출하였다

1968년 2월 20일 개통한 북악스카이웨이의 명칭은
북악산에서 유래했으며 아리랑고개에서 팔각정 지나
부암동까지 이어지는 북악스카이웨이로 들어서면
오른편은 정릉 2동과 왼편으로는 신덕고황후의 명복을 비는
돈암동 흥천사가 있으며 북악스카이웨이 골프장 입구에서
성북동쪽으로 내려가면 길상사가 있고 더 올라가면
1968년 1월 21일에 북한의 무장 게릴라 31명이
청와대를 습격하기 위해 침투한 김신조 루트가 있고
다음으로 북악스카이웨이 팔각정에 이른다

북악스카이웨이 공사가 한창일 때 정릉 2동을 지나는
다리 공사현장에서 친구가 산소 용접기에 연결된
카바이드 통의 호스 뽑아 라이터불 붙여 폭발한 사고로
일찍이 죽기도 하였다

빡빡산과 정릉천 사이의 정릉 1동 마을은 팔구라고 하였고
빡빡산 왼편은 똥둑골이라 하였다 오른편으로는
아리랑고개와 맞닿아있으며 미아리고개 쪽 동네 가운데는
여러 개의 골목길로 통하는 로터리가 있고 아리랑고갯길과
미아리고갯길은 돈암동 지하철 4호선 성신여대역에서 만나
신설동과 창경궁으로 가는 두 방향으로 이어진다

정릉 1동과 경계 짓는 아리랑고갯길 건너편 정릉 2동 마을은
공청이라 하였고 공청마을에서 좌측 길로 넘어가면
신덕고황후의 명복을 비는 돈암동 흥천사가 나온다
중앙의 길로 올라가면 신덕고황후의 정릉이 있고
우측 길로 가면 북악스카이웨이 아래
계곡에 형성된 배밭골 마을이 있다
계곡 마을 입구에는 171번 시내버스 종점이 있고
찻길로 올라서면 고려중학교, 고대부속사범고등학교
북악터널 앞에는 국민대학교가 있으며
길 건너 들어선 솔샘길을 경계로 오른편은

정릉 3동의 손가정 마을과 왼편은 북한산 서쪽 자락인
정릉 4동의 청수동이라고 불렸던 청수장 마을이 있고
계곡 따라 올라가면 북한산 보국문에 도달한다
일제 강점기에 일본인이 청수동에 지은 별장을 청수장이라
이름하면서 부터 마을 이름이 청수장이 되었다

정릉 1동
-팔구마을

빡빡산에서 아래를 내려다보면
영단 주택의 붉은 기왓장과 한옥의 검은 기왓장이
인삼밭의 그늘막처럼 보였고
멀리 보면 정릉천 건너 민둥산과 왼편의 북한산
오른편으로는 미아리고개에 맞닿은 개운산이 보인다

빡빡산 아래 정릉 1동에는 기와공장, 광목 표백공장
두부공장, 국수공장, 가내공업으로 공산품 생산하는
집과 방앗간이 있었으며 우리 집 구조는
대문으로 들어서면 정면에 부엌이 보이고
오른편 문간방 지나 마당 왼편에 장독대
오른편은 건넌방과 대청마루로 이어진 안방으로 구성된
검은 기와지붕의 디귿자 한옥이었다

대문 오른편 문설주 위에는 아버지 존함을 적은 문패가 걸려있고
대문 왼편에 변소와 마당에 맞닿은 광이 있고
마당의 장독대 위로는 빨랫줄이 걸쳐있고

왼편으로는 펌프와 물 받아놓는 함지가 있었다

무더운 여름날에는 어머님께서 펌프 물로 등목해 주셨고
여름에 날아드는 풍뎅이, 반딧불이, 벌, 나비, 잠자리 등
곤충들과 땅강아지, 도마뱀, 쥐, 제비
안방 천정에서는 달음질하던 쥐가 뚫어진 반자구멍으로
떨어져 놀라기도 하였고 빗물 새는 방에 빗물 받쳐놓은
그릇의 빗방울 소리도 들었고 대들보 제비집에
먹이 물고 날아온 어미에게 노란 입 벌려 짹짹거리는
제비새끼들과 수챗구멍으로는 쥐가 들락거렸다

아궁이에 장작 때서 밥 지으며 난방하던 아궁이를
연탄아궁이로 만들어 연탄 때면서 연탄가스에
중독되면 김칫국물 한 사발 마시고 살아났다

한옥의 주거형태는 모든 집들이 대동소이하였고
골목에서 어르신 마주하면 진지 드셨냐는 인사도 하고

고사 지낸 날에는 집집마다 고사떡 돌리고
이사 오신 댁에서는 팥떡을 하여 집집마다 돌리며
이웃들에게 인사를 하였다

골목길 벗어난 행길(신작로)에는 똥주머니 찬 말이 짐 실은
마차를 끌며 가고 멍에 얹은 소가 소달구지 끌고 가고
자동차와 자전거 행인들이 지나다녔고 친구들과 어울려
여러 가지 놀이도 하였다

김장철에는 행길(신작로)에 배추와 무를 이십 여일 쌓아놓은
김장시장이 길 따라 양편으로 길게(400m) 열리면
백 포기에서 이백 포기의 배추와 무 양념거리를 구입하여
손수레에 실어와 온 가족이 김장하는 풍경은 장관이었다
김장할 때 종일 펌프질하며 물을 퍼 올리고
무채 썰다 손가락 베었던 추억이 엊그제 같다
온 가족이 모여 겨울의 반양식을 마련하고 나면
부모님은 마음이 든든하다고 하셨다

때때로 행상인이 골목에 들어 호객하며 지나가면
대문 열고 나온 아낙들이 필요한 물건을 구입하였다
행상인은 함지, 지게, 손수레에 물건을 이고 지고 끌면서
골목마다 다니며 물건을 팔았다 지게에 얹힌
간장통 받쳐놓고 호스 꽂아 입으로 빨아내 병에 꽂으면
호스 타고 흘러나온 간장이 병으로 차오르고
채소와 고구마, 감자 한관(3.75kg) 볏짚에 싸인
10개의 계란 꾸러미 담긴 손수레가 골목을 지나가고
고물장사의 가위질 소리에 구멍난 양은 냄비나 고철
떨어진 고무신으로 강냉이 바꿔먹고
개 팔아요 하며 지나가면 집에서 키우던 개를 팔고
솥이나 냄비 때워요~ 하며 땜쟁이 목소리 들리면
구멍 난 솥, 냄비, 양동이 들고나와 구멍 때우고
칼이나 가위 갈아요~ 하면 칼, 가위 갈고
구두 따~꺼~ 구두닦이 지나가면 아버지 구두 닦았다
꽃 사려 소리 들리면 철 따라 백합 장미 후리지아 글로디올라스

화병에 꽃꽂이하며 밝게 미소 지으시던 어머니
문밖에서 목탁소리와 함께 염불 들리면
탁발 중에게 항아리쌀 한 바가지 시주하셨다
쾅~ 쾅~ 징 울리는 소리에 어느 집 대문 열리며
굴뚝 쳐줘요 소리도 들리고 집집마다 변소 치는 날에는
골목에 똥냄새가 가득했다

골목에서 뛰놀던 또래들과 빡빡산 올라가 전쟁놀이하며
수류탄 던지듯 돌멩이 던지면 윽 하고 죽는시늉하고
돌격 앞으로 외치다가 후퇴하라 소리 질러 도망도 했다
굴렁쇠 굴리며 골목 벗어나 신작로 내달리고
또래들과 어울려 구슬치기, 딱지치기, 묵찌빠
팽이싸움, 팽이 찍어 쪼개기, 사방놀이, 제기차기
비석치기, 술래잡기, 말타기, 다방구, 닭싸움
여럿이 폴짝거리며 줄넘기하기도 하였고
여자아이들 고무줄놀이하면 고무줄 끊고 달아나기
여자아이들하고 줄넘기, 공기놀이, 소꿉장난도 하였다

잠자리채 을러매고 정릉천 모래밭에 나가
잠자리채 휘두르며 잠자리 쫓아다니다 손 위에 모래 덮어
다독다독 두꺼비집도 만들고 조약돌 던져 물수제비뜨고
모래밭 뒹굴며 또래와 맞잡고 어린이들의 우상이었던
김일 레슬링선수의 흉내를 내며 레슬링 하다가
홀딱 벗고 정릉천 물속에 들어가 첨벙대며 개헤엄 쳤다
고무신 띄워 놀다가 강아지풀 서너 개 뽑아 들고
넌 줄거리며 잠자리채 을러매고 집으로 돌아오기도 했던
정릉천 보 아래 물 깊은 곳에서는 죽은 아이도 있었다

삼복더위 무더운 밤에는 빡빡산에 올라
달구경하며 빼곡한 별 사이 한줄기 빛으로 사라지는
별똥별에 소원 빌다 못 다 빌면 다시 빌려고
긴장하며 별똥별 떨어지기를 주시하기도 했다

정월에는 방패연 날려 연싸움하고

팔월 추석에는 깡통에 철사줄 매달아

불깡통 돌리며 어둠에 동그라미 그리고

어느 해에는 다른 동네 또래들이 불깡통을 돌리다가

날려버린 불깡통이 산 아래 초가지붕에 떨어져 불붙고

놀라서 뛰쳐나와 불을 끈 집주인은 빡빡산 내려가는

나를 잡고 귓방망이 때렸다

눈에서 백만 촉광의 불빛이 번쩍했다

억울해서 항변하니 거짓말 한다며 또 때렸다

저녁 먹고 신작로(행길)에 나가 하늘로 폭죽 쏘아올리고

폭음탄 터트리며 행인을 놀라게 하기도 하였다

한 골목에 사는 친구네 집에서는 광목 표백공장을 하였는데

정릉천 모래밭 한편에 대나무 건조대를 세워놓고

표백한 광목 내다 널어놓으면 친구와 광목 속으로 들어가

늘어진 광목 사이를 벌려가며 술래 찾다 찾지 못하면

납작 엎드려 친구의 발을 발견하여 찾았다

놀이도 풍성했던 신나는 유년시절은 하루해도 짧았으니
그 많았던 놀이를 어찌 다 말할 수 있겠는가
골목마다 놀러 나온 아이들의 천진한 소리가 왁자했었는데
그 많던 골목길은 사라지고 이제는 아이들의 맑고 천진한
웃음소리마저 자취를 감춘 삭막한 거리만 지나다니니
이 또한 격세지감이라 아니할 수 없겠다

미아리고개와 인접한 빡빡산 정상에는
마을의 분뇨 수거하며 생계를 잇는 분들이
서너 개의 구덩이를 파 분뇨를 부어놓고
루핑으로 덮어놓은 똥구덩이에 빠졌었다고
똥둑골 살던 친구의 이야기를 들으며 웃기도 하였다

정릉천 징검다리 건너 학교에 가고
장맛비에 개천물 불어난 하굣길에는
친구 아버님께서 목마 태워 건네주기도 하였다
세차게 흘러가는 누런 흙탕물에 떠내려오는

돼지와 가재도구도 있었고 찻길 아래 수북한
쓰레기도 함께 떠내려갔다
새벽 4시에 정릉교회의 종소리가 들리면
어머니는 잠자리에서 일어나 아침식사를 준비하셔서
형과 누나를 등교시켰다

성북구청에서 쓰레기차를 운영하면서 부터
신작로에 쓰레기차가 오면
대문 옆 사과괘짝에 담긴 연탄재를 들고 나가
쓰레기차 위로 들어올리며 연탄재를 뒤집어 썼다

엄동설한 얼어붙은 개천에서 팽이 돌리다
모닥불에 언 발 녹이며 나일론 양말 바닥 태워 먹고
엄마에게 야단맞기도 하고 썰매 타고 돌아와
꽁꽁 언 손 아랫목 이불 속에 디밀어
폭풍처럼 아려오는 통증에 엉엉 울음 터지니
종일 나가 쳐 놀다 와서 운다고 야단도 맞았다

동상 걸린 열 손가락 붉은 반점은
해마다 겨울에 꽃처럼 피어나니
두부 순물이 동상치료에 좋다고
어머니는 새벽마다 두부공장 순물 받아오셔서
대야에 두 손 담그게 하셨다

내 나이 4살 때 아장걸음으로
아버지 마중 간다고 200m 거리에 있는
아리랑고개에 들어서서 내 생애 처음으로 아리랑고개 넘어
전차 종점이었던 돈암동 전찻길 건너가는 것을
내 머리 깎아주던 동네 이발사 아저씨가 발견하고
나를 데리고 집으로 데려다주어 미아가 되지 않았다

중학교 진급하고 미아리고개 넘어가는 3번 버스로 통학하였다
버스비는 3원이었고 버스회수권을 구입하여
여자 버스차장에게 버스표 1매를 주고 만원 버스에 오르면
오라이~ 하고 외치며 개문발차로 달리는 버스 승차대 양쪽의

손잡이를 움켜잡고 몸으로 승객을 안으로 밀어 넣었다
아버지는 버스비가 많이 든다고 전차로 통학하라 하셔서
두 장에 5원인 전차표를 구입하여 통학하다가
1개월 전차 전기통학권을 매달 구입하여 중학교 졸업 때까지
아리랑고개를 넘어 돈암동에서 전차를 타고 등교했던
전차는 1968년에 운행을 중단하였다

고등학교 진학하면서 전차 운행이 중단되어
버스로 미아리고개를 넘어 통학하였다
임 떠나보낸 아리랑고개와 한 많은 미아리고개를
평생 넘어 다니니 아마도 정릉골 귀신 되어
신덕왕후와 소꿉놀이할 것 같은 예감이 든다

개천 건너 민둥산에는 소나무 아래 여기저기 묘지가 있었고
추석에는 소나무 솔잎 따서 송편 쪄 먹으면 향긋한 솔향이
코에 맴돌았고 민둥산자락에 길 따라있던 판잣집
헐어내고 들어선 어느 한옥에서는 머리 뜨겁다며 호소하는

꿈을 꾸고 아궁이 파보니 해골 나왔다는 이야기도 들렸고
미아리고개 위 2층 양옥집에서는 밤마다 귀신 나온다는
이야기가 한동안 퍼졌는데 헐값에 집 사려는 사람의
자작극으로 밝혀지기도 하였다
정릉에서 미아리고갯길 들어서는 오른편 모퉁이에는
미도극장이 있어 영화도 보고 가수 남진, 나훈아의
공연도 하였으나 지금은 없어져 추억으로만 남았다

작은 동산이었던 빡빡산 전체가 재개발되어
유년의 추억은 2000년 2월에 준공한 아파트가 깔고 앉고
우리 집 있던 한옥 밀집지역 골목의 추억도
2005년 12월에 입주한 아파트가 깔고 앉아 사라졌다
입주해 보니 평생 살면서 이사 한 번 한곳이
여섯 번째 집자리였다
정릉천도 복개되어 위로는 내부순환도로가 생기고
뛰놀던 모래밭과 물놀이와 썰매 타던
유년의 모든 추억이 덮이고 말았다

정릉 2동
-공청마을

정릉 1동과 경계 짓는 아리랑고갯길 건널목 건너
아리랑시장 안으로 들어가 왼편 언덕길을 올라가면
왼편에 학림도서실과 길 건너편 언덕에 신흥도서실이 있었다
학교에서 돌아와 저녁 먹고 학림도서실 가서
공부하다 피곤하면 친구들과 어울려 헛된 시간도 보냈다

능에서 흘러나온 물이 실개천을 이룬 주택가 양쪽에는
한사람 정도 다닐 수 있는 협소한 길에
1960년대부터 하나둘 상점이 생기더니 개천이 복개되어
길이 넓어지자 아리랑시장이 형성되었다
넓어진 길을 따라가다 왼편으로 넘어가면
신덕왕후의 명복을 비는 돈암동 흥천사가 있고
직진하면 조선 태조 이성계의 첫 번째 현비
신덕고황후 강 씨 부인의 정릉이 있고
오른편으로 넘어가면 북악스카이웨이 아래 계곡의
배밭골 마을이 있다

정릉 후문으로 통하는 계곡의 배밭골 동네에는
아래로 내려가며 대나무에 빨간 천과 하얀 천 달아
깃발 세운 암자에서 무당의 굿하는 소리도 들렸고
사찰의 목탁소리와 염불소리가 들리기도 하였다
북한산에서 내려온 배밭골 계곡의 개천은 정릉 2동의
일부 지역을 흘러내려오며 봉국사 앞에서
청수장 계곡물과 합수하여 정릉 1동으로 흘러간다

배밭골 계곡 개천을 복개한 171번 버스종점에서
찻길로 올라서 왼쪽으로 올라가면 북한산 비봉 아래를 뚫어
1971년 8월 31일 개통한 길이 810m의 북악터널이 있다
개통 당시 국내에서 제일 긴 터널이라 하여
스무 살의 호기심으로 들어가 비좁은 인도 옆으로
매연 뿜으며 쌩쌩 달리는 자동차에 하염없이 후회하며
곤혹스런 호흡으로 왕복하여 터널에서 벗어난 후에
공포에서 해방된 평안함을 잊을 수 없다

정릉 3동
-손가정

배밭골 건너편 솔샘길로 들어선 오른편의 마을은
고려 말기 손 씨와 왕 씨가 귀양 와서 마을이 생겼고
정릉 3동의 정릉시장 부근에는 정도 500년
자칭 원토박이 밀양 손 씨들이 많아지면서
손가정孫哥亭으로 불리다가 해방 이후부터
신덕왕후의 능호 정릉과 능 아래를 뜻하는 능말 호칭을
혼용하여 부르던 마을 이름이 정릉으로 정착되었다
손 씨들은 석수장이 일을 하였는데 정릉천의 바위에는
돌 따낸 흔적들이 지금도 남아있고 따낸 돌로 정릉천
양쪽에 쌓은 석축이 지금까지 현존해 있다
북악터널 앞에는 정릉 3동 국민대학교와
아래쪽에는 국학대학교가 수도의대에 통합되어
우석대학교로 되었다가 3년 후 고려대학교에 통합된
고려대학교 병설 보건대학이 폐교된 자리에
고려대학교 사범대학부속중고등학교가 있다

정릉 4동
–청수장

배밭골 건너편 솔샘길로 들어서서
2001년 7월에 개통된 솔샘터널 앞 네거리에서
직진하면 삼양동으로 넘어가고 좌회전하여 올라가면
솔샘길과 북한산자락 사이의 청수장 마을이 나온다
북한산 계곡의 정릉 유원지였던 청수장 계곡은
서울 시민의 휴식처로 스타풀장을 지나 북한산 보국문으로
오르는 계곡 물가에 봄부터 가을까지
유흥객들이 빼곡히 앉아 유흥을 즐기다 돌아갔다

청수장 유원지는 북한산 국립공원으로 지정되어
관리되면서부터 71년에 만들어져 20년간 운영하던
스타풀장은 유원지 매점의 음식점과 더불어
수질오염으로 인해 철거되어 현재에는
맑고 청정한 계곡물과 울창한 숲이 되어 주말에는
각지에서 모여드는 등산객들의 사랑을 받고 있다
청수장 계곡 입구 주차장 뒤로 북한산 둘레길이
연결되어 있고 등산객들은 청수장 계곡으로 들어서며

대동문 코스와 보국문 코스로 나뉘어 오르며

산새와 다람쥐를 보기도 하면서 정상에 올라

북한산성 길을 타고 백운대를 향하고 4·19 국립묘지나

우이동 도선사 또는 불광동 방향으로 하산하기도 한다

정릉 3동에 있었던 버스종점이 북한산자락의 정릉 4동으로

이전하여 70년대 1번, 2번, 3번, 5번, 710번 버스와

정릉을 경유하는 522번 버스노선이 있었으나

현재는 110A, 110B, 143, 162, 153, 171

지선 버스는 1014, 1020, 1113, 1114, 1116, 1164, 1213,

2115, 7211

마을버스는 성북05번, 성북06번, 성북07번, 성북20, 성북22

공항버스는 6102번이 있었으나 폐선되었고

정릉을 경유하는 버스는 153번이 우이동에서 정릉을 경유하여

북악터널 지나 평창동으로 향하여 홍제동으로 간다

배밭골 계곡 입구에 있는 171번 버스종점 이외의

버스는 모두 정릉 4동이 종점으로

서울 대부분의 지역을 갈 수 있는 노선을 갖고 있다

우이신설 경전철이 경유하는 정릉에는
정릉 1동의 정릉입구역과
정릉 3동의 북한산보국문역이 있다
환승역으로는 성신여대역 4호선 전철과
보문역에서 6호선 신설동역에서 1호선과 2호선이 있다

제2부

정릉

경복궁 동쪽으로 창덕궁 끼고 돌아 창경궁 경유하여
혜화문 지나 돈암동 사거리 왼쪽 길로 아리랑고개 넘어
정릉마을의 아리랑시장길 따라가면 조선 첫 번째 왕비
신덕고황후 강 씨 부인의 정릉이 있다

정릉마을의 조선 첫 번째 왕릉인 정릉은
험난한 세월을 헤쳐 온 신덕고황후 능으로
사후에 200년간 잊혀졌던 비운의 세월이 있었고
태조 이성계와 별리된 외로운 단능이다

정릉 토박이의 소년 시절은
돌보지 않아 헐벗은 신덕왕후의 정릉에
사시사철 놀러 다니며 능침에 올라가 구르기도 하고
바지엉덩이 헤지게 미끄럼도 타고
능 안의 이곳저곳 뛰놀다 약수터 물 마시고
폭포 쏟아지는 환벽천에서 흠뻑 젖기도 하였다

새벽에 물통 들고 능 안의 약수물 길어와 먹기도 하고
능에 놀러가 황폐한 능침에 올라 치맛자락처럼 펼쳐진
능침 아래로 굴러 내려오기도 하고 바지엉덩이 헤지게
미끄럼 타다 약수물 마시고 환벽천 폭포에
흠뻑 젖어서는 따끈한 너럭바위에 올라가 누워
하늘 보며 젖은 옷 입은 몸 말려서 돌아오곤 하였다

피부병 앓던 동생은 약을 써도 낫지 않자
약사여래의 약수인지 어머니는 정릉 약수터로
한 달간 여동생을 데리고 다니며 목욕시켜 완치하셨다
머리가 희끗한 여동생은 당시에 사람들 오가는데
홀딱 벗고 목욕하니 몹시 창피했었다며 말하기도 하였다

2009년 6월 30일 정릉이
유네스코 세계문화유산으로 등록되어
헐벗은 능침에 잔디 입혀 석물도 갖추니
살아난 능의 드러난 면모와 함께 잘 가꾸어진

산책로 조성과 울울창창한 나무들로 하여
공기 맑은 휴식터 되어 외로운 신덕왕후의
정릉 방문객이 끊이지 않는다

정릉 마당은 햇빛 없는 밝음이었다
날아온 까치 촐싹대며 꽁지깃 까딱거리고
태풍 지나간 잠든 바람에 단잠 자는 나뭇잎
왕사王沙의 신음이 발밑에서 뽀드득거린다
서넛의 여인네 웃음소리 능침으로 날아가니
외로운 신덕고황후 번쩍 눈뜨는 소리가 났다

돌아앉아 교교히 흘러 낙차 하는 도랑물 바라보니
가는 길 묻지 않고 하는 이야기
귀 기울이니 낮은 사랑을 하라고 한다
낮은 생명 보듬고 맑은 숨 쉬라고 한다
슬퍼지면 저처럼 노래하라고 한다
평생의 부끄러움이 바람처럼 달려왔다

도랑 건너편 석벽 바라보니

돌 위에 앉은 돌이 윗돌 받침 되어

받침이 받침으로 결속된 돌들은

형이상학과 형이하학을 한 몸에 지닌

아름다운 믿음과 신뢰의 인드라망이었다

발아래 개미는 어디론가 가고 있었다

　－ 졸시, 「정릉－신덕고황후 능」

신덕황후 강 씨 부인

조선 태조의 첫 왕비 신덕왕후 강 씨 부인
영령으로 쫓겨 와 붉게 맺힌 한恨의 외로운 시나위
오백년 잠든 정릉 숲 걸으며 가쁜 숨 몰아쉬니
능침 위 까치는 깍깍 강 씨 부인 잠 깨우는데
넘어가는 해 덤불숲에 걸리니 눈 시리다

강 씨 부인의 조상은
고려태조 왕건의 외가 쪽 강충이고
할아버지 강서는 충혜왕 때 상산부원군에 봉해지며
곡산 강 씨의 시조가 되었다
강서의 아들이 고려사에 남긴 한 줄의 글을 보면
강서는 영화를 누리다 충숙왕이 복위하면서
순군옥에 갇혔다는 언급만 있다

할아버지 강서는 여섯 아들을 두었는데
윤귀, 윤성, 윤충, 윤의, 윤휘, 윤부이며
둘째 아들 강윤성이 강 씨 부인의 부친이다

숙부 강윤충은 판삼사사 종1품으로

이성계 큰아버지 이지흥의 사위이며 충혜왕이 죽은 후에

원세조의 고손녀인 진서무정왕 초팔의 딸인

원나라 공주 보르지긴 이렌첸빤李兒只斤 亦憐眞班대비와

내연의 사이로 대단한 권력과 부를 누렸다

숙부 윤휘는 판도판서 정2품이었고

아버지 강윤성은 문하찬성사를 지냈으며

사후 증영돈녕부사에 추증되어 상산부원군에 추봉되었다

아버지 강윤성은 득룡, 순룡, 유권, 계권

네 아들과 두 딸을 두었는데

언니는 왕의 권력을 능가하는

신예의 동생 신귀와 결혼하였고

강 씨의 오빠 득룡은 삼사우사 정3품

순룡은 찬성사 정2품과 은성부원군에 봉작되었고

원나라 숭문감소삼의 벼슬을 갖고 있었으며

강 씨는 늦둥이로 태어난 막내딸이었다

강 씨의 가문은 고려의 충혜왕, 충목왕, 충정왕

3대에 걸쳐 부귀영화를 누렸으나

공민왕이 즉위하며 조정의 원나라 세력을 몰아낼 때

친원파인 강윤성, 강윤충, 득룡, 순룡과

형부 신귀에게 채하중의 역모에 얽어매어

유배 보내 사형에 처하고

오빠 강순룡만 가까스로 살아남았다

강 씨가 태어나던 해 1356년~1359년의 사건이었다

강 씨 탄생

1356년 7월 12일 음력 6월 14일에
황해도 곡산 가람산 아래 용연마을에
조선의 첫 왕비가 될 아기울음이 들렸으니
아버지 강윤성과 어머니 진산부인 진주 강 씨 사이에
늦둥이 막내딸 강 씨가 태어났다
충혜왕, 충목왕, 충정왕 3대에 걸쳐 위세 떨치던
권문세가에 어두운 그림자가 들어오고 있었다
공민왕은 원나라 배척 정책을 도모하여
친 원 세력의 강 씨 가문을 축출하니
강 씨가 태어나던 1356년에 충혜왕의 서자
석기를 옹립하려는 채하중의 역모에
작은 아버지 강윤충을 연루시켜
1356년 6월 20일에 동래현령으로 좌천하고
이듬해는 부친 강윤성, 숙부 강윤휘가
고문과 곤장 맞고 유배 보내고
형부 신귀는 역적으로 몰린 신돈과 함께 처형되었다
1358년에 숙부 강윤충이 유배지에서 처형되고

오빠 강순룡만 가까스로 살아남았다

강 씨가 태어난지 2년 후인 1358년 4월

부친 강윤성은 8개월 만에 유배에서 풀려났으나

역적으로 몰린 강 씨 집안은 개성에서 살지 못하고

황해도 곡산 고향으로 가족을 이끌고 쫓겨나

고문과 곤장 맞은 후유증으로 앓다가

1359년 1월 13일에 강윤성이 사망하여 가문이 몰락하였다

강 씨 모친은 창졸간에 부군을 잃고 아득하였다

보듬어 안은 강 씨 눈물 젖어 젖 물리고

잠든 간난동이 넋 놓고 바라보며 살길을 찾아야 했다

핍진의 날들에 옹알이하며 빙긋빙긋 웃는

강 씨 바라보며 힘내어 마음 굳게 하니

강 씨 모친의 양육 정성은 희망을 향하고 있었다

강 씨 모친 친정으로 피난

함박눈 내리던 날이었다
소리 없이 내리는 눈처럼 떠나간 부군
쏟아내던 눈물도 말라가니 구들장도 식었다
엄마가 우니 강 씨도 울었다
눈은 쌓여 백자 같은 하얀 세상이 되었다
어둠에 달빛 받은 눈에는 푸른빛이 서리고
문풍지 울리는 바람에 촛불은 펄럭이며
주르르 흘러내린 촛농은 몸통에 기둥같이 굳었다

역적의 죽음에 문상객은 없었다
고요한 적막이 강 씨 모친 울음소리 감싸고
촛불은 파르르 떨다 일렁이며 검은 끄름 올리고
향불도 불똥 위로 파란 향연을 올리고 있었다
무명옷에 삼베고깔 쓴 소복의 모친과 어린 강 씨
시신 수습하러 온 염장이의 측은한 시선이
방안의 정경 한 바퀴 둘러보고
조밥 떠 시신 입에 먹이고 열두 매듭 염 하였다

북망산천 가는 상여는 호젓하고 고요했다

곡비도 만장도 요령잡이도 뒤따르는 추모객도 없었다

상여 따라가며 흐느끼는 외롭고 쓸쓸한 여인

등에 업힌 강 씨의 두 볼은 발그레 꽃피우고

매서운 북풍은 한설을 펄펄 날렸다

장지의 땅은 꽁꽁 얼어 팔수가 없었다

주변의 돌 끌어모아 돌무덤 세우니

어둠 내려오며 하나 둘 별이 뜨고

강 씨 모친은 흐느적거리며 눈물바람으로 돌아왔다

부군 여읜 슬픔에 젖어 지내다

홍건적 난 피해 네 살 강 씨 등에 업고

경상도 진주 월아산 국사봉 계곡 청곡사 아래

갈전리 월아마을 친정으로 피난길 오른 강 씨 모친

금산 지나 질매재 고개 넘을 때 보름달 길 밝히니

달그림자 앞세워 보름사리 걸음 걸었다

월아산 타고 휘영청 오른 달 깊은 밤
싸리문 열고 들어서니 노모의 기침 소리 들렸다

강 씨 모친 친정이 있는 월아 마을하고
월아산과 청곡사를 살펴보면
월아산은 진주를 방어하는 동쪽의 울타리로
북쪽의 국사봉과 남쪽의 장군대봉으로
크게 솟은 쌍봉의 주봉 사이 질매재 고갯길은
금산, 문산, 진성면으로 이어져 이곳 백성들은
가뭄이 들면 질매재에서 기우제를 지냈다

월출이 황홀하고 달빛이 산을 타고 올라왔다고 하여
달올음산(달음산)이라고도 하고
달을 토하는 듯하다는 월아토월月牙吐月에서
월아산이라고 하였다

청곡사는 진주시 금산면 갈전리 월아산 아래 자리한

대한불교 조계종 제 12교구 본사인 해인사의 말사로

879년 통일신라 49대(헌강왕 5년)에 도선 국사께서

진주 남강 변에 앉아 있으니

푸른 학(청학靑鶴)이 날아가 따라가 보니

월아산 기슭에 청학이 앉아 있는 터가

최고의 명당이라 청곡사를 지었다

1397년(태조 6년)에 신덕왕후의 원당 사찰이 되어

이성계가 실상사 장로인 비구 상총대사에게

중창과 함께 향완을 만들게 하여

신덕왕후의 명복과 극락왕생을 빌었다

임진왜란으로 불에 탄 것을 1602년(선조 35년)에

계행戒行, 극명克明 두 스님이 중창했고 이어서

1612년(광해군 4년)에 중건하여 1612년(광해군 5년)에

극명克明 스님이 불상을 다시 조성하였고

1661년(현종 2년)에 인화 스님이 업경전시왕상業鏡展示往相을

1722년(경종 2년)에 괘불掛佛을 조성하고
조선 말기에 포우 대사가 지금의 모습으로 중수하였다

강 씨가 달밤이면 청곡사 앞 연못에 와서
맑은 물을 거울삼아 비춰보기를 즐겨 하였고
자신의 미모를 학으로 비유하여
학의 그림자처럼 비쳤다고 학영지鶴影池라 하였다

계곡의 다리는 학이 찾아온 다리라 하여 방학교訪鶴橋
다리를 건너면 달밤에 학이 내려온 곳이라 하여
학을 환영한다는 환학루歡鶴樓라 하였다

월아 마을은 월아산 국사봉 계곡 청곡사 아래 있는
강 씨 모친의 친정이 있는 마을로
임진왜란 때 충장공 김덕령장군(1567~1596)이
국사봉 아래 월아 마을 인근에 목책 성을 쌓고 주둔하며
곽재우 장군과 협력하여 각지의 왜군을 토벌하였으나

1596년 이몽학의 난에 연루되어 무고로 억울하게 운명하였다

강 씨 모친은 천수를 누리지 못한 부군의 신위

청곡사에 모셔놓고 명복 빌러 다녔다

어린 강 씨는 걷다 업히다 하며 엄마 손 잡고

학영지 연못의 맑은 물에 연꽃 구경 하며 얼굴도 비춰보고

계곡의 방학교 건너 환학루에 올라 엄마와 다리쉬임하며

새소리 물소리에 재잘거리며 청곡사 들어가

얼굴 모르는 아버지의 명복을 빌었다

대웅전 부처님께 엄마와 함께 절하고

업경전 지장보살님께도 엄마와 절하면서도

아버지의 명복을 비는 일이라는 생각도 못하고

엄마 따라 청곡사 부처님께 절하며 지내다 보니

자연스레 불자 되어 불심이 일어났다

강 씨 모친 귀향

홍건적의 난이 끝나고 나라가 안정된 1년 후
1363년 2월에는 강 씨 부인의 사촌오빠 상호군 강영이
개경수복 공으로 수복경성 2등 공신에 책봉되고
11월에는 홍건적 퇴치로 기해격주홍적 2등 공신에 책봉되니
멸문으로 몰락된 가문에 서광이 들기 시작했다

강 씨 모친은 사촌 시동생 강영이 개경수복 공을 세워
수복경성 2등 공신에 책봉되었다는 소식을 듣고
1363년에 4년간 피난살이 했던 친정을 떠나
큰딸과 함께 7살의 어린 강 씨 손을 잡고
신천 강 씨 가문의 몰락으로 의지할 곳 없는 개경을 떠나
강 씨의 본향 황해도 곡산 가람산 아래 용현마을로 돌아왔다

이성계 사촌누이의 남편인 사촌오빠 강영은
가끔 들러 작은 어머니 안부를 물으며
아버지 없이 커가는 강 씨와 같이 놀아주며
활쏘기를 하고 말에 태워 나들이도 하니

강 씨는 활 솜씨와 기마술이 능숙해졌고
강 씨 모친은 저녁마다 정한수 떠놓고
억울하게 죽은 부군의 명복을 빌며
가문의 창달과 어린 강 씨의 앞날을 축원하였다

강 씨는 엄마가 마을에 일하러 가면
집안청소 후 서책을 읽으며 학문을 넓히고
우물물 길어 물동이를 채우고 빨랫감 이고 나가
우물가에서 빨래하며 집안일을 거들었다

마을 일 마치고 돌아온 엄마와 밥상머리에 앉아
저녁 먹으며 가문의 이야기와 함께 억울하게 죽은
아버지의 이야기를 듣고 가문에 대한 자긍심과
정의감을 키워가며 얼굴조차 모르는
아버지가 그리우면 밤하늘의 별을 세었다

처녀티가 나면서부터는 수틀 바쳐놓고

한 땀 한 땀 수놓아 꽃밭 만들고
날아드는 벌 나비도 앉혀 놓고
청곡사 월영지에 얼굴 비춰 즐겼듯이
면경 앞에서 자신의 예쁜 얼굴에 취하다
아버지를 그리며 잠들기도 하였다

말달리며 사냥한 날에는 저녁상에
고깃국과 고기반찬으로 진설하여
모친과 함께 식사하였다

역적 누명 쓰고 멸문지화 된 가문이라 하여도
오랜 세월 권문세가의 내력은 남아있어
강 씨는 모친과 사촌 오빠 강영으로 부터
면면히 교육을 받으며 빼어난 자질을 갖추니
정치적 면모와 학문에 일취월장하여 빼어난 미모에
가문의 인맥과 재력을 바탕으로 이성계와
정략결혼을 하여 갖춘 수완을 유감없이 발휘하였다

강 씨와 이성계의 첫 만남

땡볕에 달아오른 열풍 불던 날
용연龍淵 우물가에서 빨래하는데
멀리서 말발굽 소리가 들리는가 싶더니
우물가 언덕바지에서 말발굽 소리가 멈췄다
버드나무에 말고삐 매어놓고
우물 옆으로 다가온 거구의 사내는
"낭자, 목이 타 갈증이 나니 물 좀 떠주시오"
하고 청했다

강 씨는 바가지에 물을 떠 늘어진 버드나무
가지 훑어 버들잎 띄워 공손히 건넸다
"물에 왜 버들잎을 띄웠소?"
사내는 분노에 차 소리 높여 꾸짖었다

강 씨는 사내를 올려다보며 말했다
"물도 급하게 마시면 체합니다."
사내는 새삼 강 씨를 찬찬히 살펴보니

아름다운 미모와 지혜롭고 사려 깊은 행동거지에
감탄하며 버들잎 후후 불어가며 천천히 물을 마셨다

"낭자의 댁은 어디시오"
"가람산 아랫마을 이옵니다"
"낭자의 사려 깊은 냉수 고맙게 먹었소"
"헤아려 주시니 감사합니다"

황해도 곡산부 치마곡에서 호랑이 사냥하다가
용연龍淵의 우물가에서 이루어진 고려 명장
이성계와 강 씨의 첫 만남이라 전해 오지만
재미를 더하는 전설일 뿐 사실과 다를 것이다

강 씨, 이성계와 결혼

강 씨의 몸매와 미모는 활짝 피어난 한 송이 꽃이었고
말도 잘 탔지만 활도 잘 쏘았다
이성계는 돌아와서도 강 씨 생각에 취해 있었고
강 씨도 이성계의 모습이 눈에 삼삼하였다

일 마치고 돌아온 모친과 저녁 먹으며
우물가에서의 일을 이야기 하니
"그분은 고려의 명장이신 이성계 장군님이시다"
"어머! 저도 체구도 크고 늠름하여 장수로만 생각했지
이성계 장군님인 줄은 미처 몰랐네요"

강 씨 모친은
나이 찬 강 씨를 시집보낼 생각은 전부터 있었던 터라
이를 빌미로 이성계와 인연되어
가문이 일어서면 좋겠다고 생각하였다
이성계 가문과는 생면부지의 사이가 아니었다
강 씨의 숙부인 시동생 강윤충이 이성계의 할아버지

쌍성총관부 쌍성만호 이자흥의 사위이고
강 씨의 사촌오빠 강영은
이성계 사촌누이의 남편으로 겹사돈 관계였다

강 씨 모친은
이성계와 맺어질 수도 있겠다고 생각하였으나
장성한 본처 자식들이 있는 데다가
나이도 스물 한살이나 차이 나니
가당치 않다고 생각하며 뒤뜰에 나가
정한 수 한 사발 떠놓고 치성을 드렸다

신랑감 나서는 형편이 마땅히 없는 가운데
혼기 찬 강 씨를 시집보낼 걱정으로 지내던 때에
더위가 물러가고 가을로 접어든 어느 날
이성계는 사주단자와 혼서지, 폐물을 보내 청혼하였다
혼서지는 친필로 평생을 약속한다는 언약의 글로
관습대로 복기장성 미유항려僕旣長成 未有抗儷

본인이 장성하였으나 짝이 없다는 내용이다

강 씨 모친은 심란한 심사로 잠을 설쳤다
역적 집안에 손 내미는 사람도 없고
가문의 몰락으로 핍진한 집안의 강 씨가
괜찮은 집안에 시집갈 여지가 없던 터라
몰락한 집안을 일으켜 세우는 데는
고려 영웅 이성계가 유일한 희망이었지만
장성한 아들을 둔 본처가 있는 데다
나이도 스물 한살이나 차이 나는
계륵과 같은 청혼에 심란하여 잠을 설쳤다
몰락한 가문 일으켜 세우는 데는 더할 나위 없음에도
불가하다는 생각으로 망설여지는
두 마음으로 갈팡질팡 날 밝히고
강 씨에게 우려의 말과 함께 혼서지를 건넸다

이성계 장군의 청혼을 말하니 늠름하고 믿음직한

사내다움과 준수한 용모가 눈에 삼삼하던 강 씨는
이성계장군의 혼서지를 받아보고 걱정하지 마시라며
모친에게 결혼할 뜻을 말했다

"이성계 장군의 나이가 많으니 어찌 결혼할 수 있겠느냐?"
"가문이 일어서려면 이성계 장군님과
연을 맺는 것이 좋지 않겠어요
그런 염려는 마시고 이성계 장군님께 뜻이나 전해 주어요"

강 씨는 혼서지를 읽어보고 거짓을 말했다며
문구를 고쳐 수유항려불현雖有抗儷不賢
짝이 있으나 어질지 못하여, 라고 고쳐야 한다고 하였다

모친은 강 씨의 영민함은 알고 있었으나
이토록 세심하고 영특한 줄은 몰랐었다
"처음 결혼한 부인이 어질지 못하여 재취한다는 말이니
무안한 말을 어떻게 장군께 할 수 있겠느냐"

난감해하는 모친에게 강 씨는
결혼은 숨기는 것이 있으면 안 되고
평생 언약을 하는 혼서지에 그리 쓰지 않으면
아내의 권리를 주장하지 못하는 것은 물론이려니와
출산한 자식은 전실 자식들에게 채여 행세를 못 하고
첩의 자식이 될 것이라고 하였다

고려의 결혼 풍습에는 고향에 거주하는 향처鄕妻와
관직에 올라 임지에 거주하며 혼인한 경처京妻가 있다
권문세가에서는 딸이 첩 되는 것을 용납하지 않았다
하여 정처와 후처의 구별을 두지 않고
평등한 반열의 정처로 생활하였으나
후일 왕위 다툼에 있어서는 물러설 수 없는
정처와 후처의 구별로 골육상잔을 벌이니
이방원이 주도한 왕자의 난이 그것이었다

이성계는 강 씨의 요구사항을 전해 듣고
강 씨의 영민함에 탄복하여 혼서지를 다시 써 보냈다
강 씨 모친은 강 씨의 결혼을 앞두고 보니
운명을 달리한 지아비가 사무치게 그리웠다
지나온 역경의 날들이 새록새록 생각나며
어렵게 키운 딸이 곱게 자라줘 대견하면서도
이성계 장군의 본향에는 본처와 함께
장성한 자식들이 있는 데다
나이 많은 지아비 만나는 것도 심란하여
잠을 설치며 눈물짓는 날들이 많았다

이성계 장군과 강 씨 혼사 날
황해도 곡산 가람산 아래 용현마을에 쓸쓸했던
강 씨의 집에는 일찍이 곡산의 목민관들과
이성계 장군이 거느리고 온 이천 명의 군사들과
마을 사람들의 축하객들이 몰려들어 문전성시를 이루며
왁자한 웃음소리와 함께 선망의 눈길이 가득하였고

이성계는 강 씨와 결혼 후 향처 한 씨를 찾지 않았다

이성계는 빈번한 외적의 침입을 격퇴하며
전쟁터를 누비느라 집에는 잠깐 다녀가니
강 씨와 오붓한 시간을 보낼 틈이 없었고
강 씨는 전쟁터에서 죽을 수도 있는 지아비의
무사함을 기원하며 마음 졸이는 날을 보내다가
지아비의 연전연승 소식을 접할 때마다
가슴 뿌듯해하며 기쁨을 감추지 못했다

결혼 후에도 가문을 회생시키겠다는 열망으로
역적 누명 쓰고 멸문지화 되어 쫓겨났던
개경 입성을 소원하다 이성계 부인으로 딸과 함께
어엿하게 개경에 입성하여 몰락한 가문을 일으키기 위해
지아비는 전쟁터에서 언제든 죽을 수 있으니
자신과 자식의 몰락을 겪지 않으려면 개경에서
신천 강 씨 가문이 강력한 세력을 갖추기 위한 방편으로

권문세족과 자식들의 혼인을 성사시켜가며
세력의 기반을 다져나갔다

강 씨는 이성계와 함께 개경에서 생활하게 되어
장성한 이성계의 넷째 아들 방간과 다섯째 아들 방원을
개경으로 불러들여 정성을 다해 뒷바라지하였고
두 아들도 강 씨를 어머니로 극진히 섬겼다
이성계는 전쟁터를 누비느라 돌보지 못하는
두 아들의 교육과 혼사를 강 씨가 하였다

성실하고 영민한 방원은 글공부도 일취월장하여
방원이 서책 읽는 소리를 듣고 있던 강 씨는
자신의 아들이 아닌 것에 아쉬운 탄식을 하였고
이성계는 아들 방원이 과거에 장원급제하자
대대로 내려온 무인의 가문에서
아들 방원이 문인으로 급제한 감격으로
눈물 흘리며 기뻐하고 자랑스러워하였다

강 씨는 가문의 인맥을 통해
좋은 집안과 혼사를 청하는 일이 수월하여
방간과 방원 모두 개경의 명문거족인
여흥 민 씨 가문과 사돈을 맺었고
자신의 딸은 개경 최고의 권력자인
이인임 가문의 이제와 혼인시켰고
자신의 큰 아들 방번은 고려왕의 딸과 결혼시켰다

황산대첩의 대승리로 고려 영웅이 되어
중앙정계에 신흥무인세력의 실세가 된 이성계는
이후에도 1383년에 여진족 호바투를 격퇴하고
1384년에는 길주에서 왜구를 토벌하였다

강 씨는 집안을 다스리며 끊임없는 전쟁에서
부군의 안위를 노심초사하는 가운데
굳건한 권력을 반석에 올려놓는 야심을 키워나갔다

위화도 회군

명나라는 원나라가 북쪽으로 쫓겨가자
원나라가 지배하던 고려의 철령 이북
쌍성총관부에 대한 연고권을 주장하며
철령위 설치를 일방적으로 고려에 통고하자
고려 조정에서는 격분한 최영의 주도 아래 요동 정벌을 논하여
이성계의 적극적인 요동정벌 불가론을 일축하고
우왕의 절대적인 지지 아래 원수 최영장군은
개경에서 우왕을 보좌하며 정벌군을 지휘하게 하였고
요동 정벌군은 좌장군 조민수, 우장군 이성계로 편성하여
개경성을 나와 요동을 향해 출병하였다

압록강 위화도에 도착한 주둔지에 장마로 하여
쏟아지는 폭우에 홍수로 군사가 휩쓸려가고
많은 피해를 입게 되자
이성계는 위화도 회군 요청을 우왕에게 상소했으나
우왕과 최영의 고려 조정에서는
요동진격을 거듭 독촉하였다

이성계는 좌장군 조민수와 군사들의
회군동의 아래 위화도 회군을 감행하였다
위화도 회군 소식을 조정보다 앞서 전해 들은 방원은
변고에 대비하여 포천 철현鐵峴의 전장田莊을 맡아
따로 살림하던 강 씨와 이복동생 고향의 친모
한 씨 일가족을 이끌고 동북면으로 피신하여
이천에 있는 한충의 집에 머무는 동안
음식 만들어 올리며 자상하고 극진하게 모셨다

개경에서 출병하여 3개월에 걸쳐 도착한 위화도에서
회군에는 한 달 만에 개경성 앞에 이르러 진을 쳤다
우왕의 개경성 방어 명을 받은 최영은
전력을 다했으나 역부족이었고
이성계와 조민수는 개경성을 함락하여
대궐의 팔각정으로 피신해 있던
우왕을 폐위하여 강화도로 유배 보내고
최영은 고봉현高峯縣으로 유배 보냈다

정몽주 죽음

1389년(창왕 1) 10월 11일 이성계의 생일에
방원은 정몽주와 변안렬을 초대해
동조의 여부를 묻는 하여가를 노래하자
정몽주는 단심가를
변안렬은 불굴가를 불러
고려에 충성할 뜻을 밝혔다

1391년(공양왕 3) 9월 23일에 이성계의 향처
한 씨가 52세에 위장병 악화로 사망하자
송도(개성) 남쪽 해풍군 치속촌 언덕에 분묘를 조성하고
방원은 여막을 지어 시묘살이하고 있었다

1392년(공양왕 4) 3월에 명나라에 갔던
석 왕자 귀국길에 황주로 마중 나간 이성계가
돌아오는 길에 해주에서 사냥하다 낙마하여
치료차 머물고 있는 기회를 틈타서
이숭인李崇仁, 이종학李鍾學이

이성계 일파를 탄핵하여 귀양 보내고
정몽주가 이성계를 제거하려는 음모를 포착한
강 씨는 어머니 한 씨의 시묘살이 하는
방원을 급히 해주로 보내 위급한 상황을 알려
이성계를 개경으로 돌아오게 하였다

정몽주는 조준, 정도전, 남은, 윤소종을
제거하기에 앞서 정세를 살피고자
병문안 핑계로 이성계를 방문하고 돌아가는 길에
방원이 조영규, 고여에게 시켜
정몽주를 선죽교에서 살해하였다
다리 이름이 선지교였으나
정몽주가 살해된 자리에 대나무가 솟아올라
사람들이 선죽교라고 개칭하여 불렀다

이성계는 방원이 정몽주를 척살했다는 소식에
대노하며 방원을 불러 이지란에게 목을 치라 하자

정몽주가 우리 집안을 망하게 하려는데

앉아서 당할 수 없어 아버지를 위한 효성에 그리했다고

항변하며 어머니께서는 왜 가만히 계십니까 하니

강 씨가 만류하자 사주한 장본인이

강 씨인 것을 알고 노여움을 거두었다

조선건국

정몽주의 죽음과 함께 대립한 세력이 제거되자
조정의 대소신료들은 이성계를 왕으로 추대하였다
이성계는 방문을 닫고 수차례 거절하니
강 씨는 간곡하게 부군을 설득하였다

"나는 역적이란 오명을 남기고 싶지 않소"
"시중께서는 어찌 역적이라 하시나요?"
"이성바지가 왕이 되는 게 역적 아니오?"
"고려는 이미 국운이 다하여 백성의 고초가 막심하고
나라를 다스릴 왕이 없음에 대소신료의 주청이 간곡한데
하늘의 뜻이 이러 하건대 역적이라 함은 가당치 않아요"

이성계는 생각에 잠겨있다 방을 나섰다
공민왕 정비가 내어 준 대청에 놓인 옥새를 받들고
대소신료의 주청을 가납하겠다고 하였다
공민왕 정비의 명과 문무백관의 추대로 대궐에 들어가
위화도 회군 4년만인 1392년 7월 17일 수창궁에서

군신들의 나배를 받으며 왕으로 즉위하였다

이성계는 곤룡포에 익선관을 쓰고 말했다
"과인의 부덕함을 경들이 보필하여 새 국가를 창건하고
과인으로 하여 강산과 백성을 다스리게 하니
재주가 부족해도 경들은 과인을 버리지 않기를 바라오"

역성혁명을 이루고 농본주의, 숭유억불, 사대교린을
국시로 삼아 조림을 명나라에 보내 이성계의 등극을 알리고
밀직사사 한상질을 보내 이성계의 본향 화령과 조선 중에
국호를 조선으로 승인받아 다음 해
1393년(태조 2) 1월 15일부터 새 국호를 조선으로 하니
고려는 475년 34대 공양왕을 끝으로 멸망하였다
이성계의 나이가 58세였다

명나라로부터 국호 조선을 받았으나 국왕에 대한 고명은
9년이 지난 1401년(태종 1)에서야 받았다

건국 초기에 명나라와 요동을 둘러싼 영토분쟁으로
1396년(태조 5)에 표전문의 문구가 불손하다 하여
이와 무관한 정도전을 잡아들이라 명하였다

존명사대를 주장하며 동, 서북면 여진족 지역을
조선의 영토로 편입하는 이중적인 정책을 쓰는
정도전을 제거하기 위한 구실이었고 표전문 작성한
김약항, 노인도는 명나라에 잡혀가 처형되었다
정도전은 태조를 설득해 요동정벌의 뜻을 이끌어냈으나
1398년(태조 7) 1차 왕자의 난에 살해되어 무산되었다

강 씨 부인은 만감이 교차하였다
역적의 가문이라는 멍에로 마음 졸이며 살았고
홍건적 난을 피난한 외가에서 엄마와 함께
청곡사 부처님께 절하며 아버지 명복을 빌었고
피난 끝내고 엄마와 곡산으로 돌아와
핍진한 세월에 집안일 도와가며 역적의 딸로 지내다

몰락한 가문 세우려는 일념으로

본처와 장성한 자식들 있는 나이 많은 부군을 맞아

자신의 자식과 전실 자식 뒷바라지해가며

수많은 날 전쟁터 부군의 안위와 무운을 빌고

정적들의 시기와 모함에 시달리는 부군을

마음 졸이며 지켜야 했고 위기의 순간을 넘기느라

모질게 마음먹었던 날들이 머리를 스쳐갔다

역적의 딸에서 왕비가 되어 국모의 자리에 앉으니

사무친 마음으로 야망을 이룬 여장부였다

1392년 8월 7일 이성계는 한 씨를 절비로

강 씨를 조선 최초의 왕비로 책봉하고

현비의 별호를 내려 국모가 되었고

왕자들은 君으로 봉했다

강 씨의 외향外鄕 경상도 진주목을

신덕왕후 외향이라 진양대도호부로 승격하고

공양왕은 공양군으로 폐위하여

강원도 간성으로 귀양 보낸 후 다시 삼척으로 옮겼다

1392년 8월 13일에는 고려 왕족과 구 세력의 온상

개경을 떠나 새 나라에 걸맞은 곳을 찾아 천도하자는

신덕왕후의 설득으로 한양 천도를 명하고

8월 20일에는 강 씨의 둘째 아들

의안군 방석을 왕세자로 책봉하였다

1393년 9월 21일에는

현비 강 씨의 본향本鄕 황해도 곡주를 곡산부로 승격하고

1394년(태조 3년) 10월에 한양으로 천도하였다

새 도읍지의 첫 번째 후보지는

계룡산자락에 공사를 하였으나

하륜의 풍수지리상 적당치 않다는 반대상소로 중지되었다

계룡산에서 내려온 물이 손損방향으로 흘러

재물이 소멸하게 되니 국운이 위태롭다는 내용이다

태조는 서운관들과 풍수에 밝은 모든 관원에게

고려의 왕릉 위치를 풍수로 살펴보게 하니
손損방향으로 흘러가는 물은 어느 왕릉에서도 없었다
그러나 계룡산의 공사를 멈추지 않고 이어가던 어느 날
태조의 꿈에 백발노인이 나타나 말하기를
그 땅은 삼정삼읍三鄭三邑의 땅이고
너희 땅이 아니니 다른 곳으로 옮겨가라 하였다
정 씨가 팔백 년 왕 노릇 한다는 정감록의 예언이다

태조는 천도할 도읍지 계룡산의 공사를 중단하자
강 씨는 지금 천도를 실행하지 않으면 기회가 없으니
천도를 포기하지 말 것을 끈질기게 설득하였다

하륜은 신촌과 연희동 일대의 무악을 추천했으나
협소하다고 취소되고
무학 대사가 인왕산을 주산으로 하여
백악과 목멱(남산)을 좌청룡 우백호로 삼아
동향으로 궁궐을 앉혀야 한다고 했으나

정도전이 그 터는 너무 좁고 도읍은 남향이 원칙이니
지금의 경복궁 자리에 삼각산 백악을 주산으로
안산과 낙산을 좌청룡 우백호로 삼아
남산을 남주작으로 하여 도읍을 정해야 한다는
정도전의 주장으로 한양이 새 도읍지로 정해졌다

1395년(태조 4) 9월 중앙에 경복궁
동쪽에 종묘 서쪽에 사직을 완성하고
이듬해 북北으로 백악 동東으로 낙산 남南으로 남산
서西로 안산을 잇는 도성과 서대문이 완성되었다
정도전은 김사행과 김주의 경복궁 공사를 지휘감독하며
궁궐과 사대문의 이름을 지어
새 도읍지의 설계자 역할을 다했다

강 씨는 부군의 앞길에 방해되는 사람들을 제거하며
부군의 마음을 북돋워 새로운 나라의 주인을 만들었다
강 씨와 방원은 이성계를 왕으로 만드는데

최고의 파트너이자 환상적인 콤비였다
방원은 밖으로 활동하며 강 씨와 협조하고
강 씨는 안으로 이성계를 설득하고 북돋우며
정치역량을 유감없이 발휘하였다

강 씨와 방원은 같은 목표를 향하는 긴밀한 사이에서
목표달성 후에는 세자의 자리를 다투는 정적이 되어
강 씨는 방원을 무시하고 자신의 큰 아들 방번을
세자로 세우고 싶었으나 공양왕 동생의 사위여서
신하들의 격렬한 반대로 무산되고
열 살의 둘째 아들 방석이 세자로 책봉되었다

강 씨는 그동안의 고생을 보상받은 행복감에 젖었으나
방석의 세자 책봉으로 훗날 자식들이 방원에게 죽임당하고
자신의 능마저 훼절 되리라고는 예측하지 못했다

방원은 신덕왕후에게 심한 배신감을 느꼈으나

넘볼 수 없는 권세 앞에서는 무력하기만 했다
강 씨는 방원이 세자 방석에게 큰 위협이 될 것을 알고
철저하게 짓밟으며 정치를 못 하게 벼랑 끝까지 몰아
사병 혁파로 방원의 사병을 제거하고
정도전과 손잡고 재기하지 못하도록 묶어 놓으니
방원은 무력감에 빠져 분노의 날을 보내고 있었다

신덕왕후의 죽음

1396년 9월 15일 신덕왕후가 40세의 젊은 나이에
이득분 사저에서 갑자기 심근경색으로 죽음을 맞이하니
이성계는 동대문 밖 안암동에 능지를 알아보고
땅을 파니 물이 솟아올라 중지하고
지금의 영국대사관 자리인 정동에 당시의
도성 내 경복궁 서쪽 취현방으로 능지를 결정하였다

시호를 맡아보는 관청 봉상시奉常寺에서는 현비의
존호를 신덕왕후神德王后 능호를 정릉貞陵으로 지어 올렸고
왕후의 명복을 비는 원찰 흥천사를 1396년에 착공하여
1397년(태조 6년)에 170간의 규모로 지었고
경남 양산군 통도사에 신라 때부터 간직했던
석가여래의 몸 일부분인 사리 중 일부를 옮겨두고
흥천사 북쪽에 사리 전을 건축하였다

이성계는 흥천사를 착공할 때
권근의 정릉 원찰 조계종 본사 흥천사 조성기에

이성계가 권근에게 지시한 말이 있으니

9월 정축 일에 임금이 신하 권근에게 이르기를

내가 잠저에 있을 때 주 외에서 근로할 때나

화가위국化家爲國하는 날에도

신덕왕후의 내조가 실로 많았다

여러 가지 중요한 정무에 임할 때도

충고하고 돕기를 부지런히 하였는데

뜻밖에 세상을 떠나니 경계하는 말을 들을 수 없고

어진 정승을 잃은 것 같아 내가 매우 슬프다

저승길의 복록을 바라면서 이 절을 창립하고

그 은택을 이루어 나라를 복되고 만물을 이롭게 하여

길이길이 다함이 없게 하려 한다

이 뜻을 밝혀 후세에 전하려 하니

네가 그 글을 지으라 하셨다

권근이 손을 들어 절하고 머리 조아려 아뢰기를

예부터 군왕 되는 이가 천명 받아

국가건설에 어진 배필이 있어 그 덕을 보조했기에

임금의 덕행에 감화하는 것이 모두 안에서부터 시작하였습니다

하나라의 도산, 상나라의 유신, 주나라의 태임과 태사는

역사책에서 찬미하여 천고에 빛나는 분입니다

삼가 생각건대 우리 신덕왕태후는

아름다운 자질로 몸소 절검을 실천하셨습니다

일찍이 곤도(여자의 도리)의 순함을 빛내고

건도(하늘의 도)의 강건함을 짝하였으며

효도하고 공경함은 종묘 제사에 극진하고

예의범절은 규문(부녀자의 거처) 안에서 뛰어났습니다

올바르게 시작하기를 관저(흐트러지지 않음)의 교화에서 기초하고

아랫사람들에게 규목(늘어진 나뭇가지)의 인처럼

마음을 썼습니다

아침저녁으로 게으르지 말라는 경계를 어기지 않아

놀고 편안한 데에 빠짐이 없으며

사사로운 청탁을 듣지 않고 왕업을 도우며

세자를 낳아 일대의 왕업을 돕고 만세의 근본을 세웠으니

그 맑은 덕과 아름다운 모범이 참으로

옛날 어진 왕후에게 부끄러움이 없었습니다

그 복을 누려야 마땅한데 갑자기 세상을 떠나시니

아름다운 모습이 영영 감추어지니

향혼(아름다운 넋)을 추모할 길이 없습니다

주상께서는 내조가 없음을 슬퍼하고 신하와 백성들은

국모의 모습을 볼 수 없음을 탄식하여 왕후의 제복에 빛이 없고

산 능에는 햇빛이 가리어져서 구름에 수심이 가득하고

달이 슬퍼하는 듯 눈에 가득한 것이 슬픔뿐 입니다

아, 애통합니다

그러나 어진 덕이 널리 퍼지고 알려져

멀리 상국(명나라)에까지 들렸으며

천자(명태조 주원장)도 슬퍼하며 칙명을 하사하여

조상하고 위로하니

슬퍼하고 영화롭게 하는 법전에 갖추어졌다고 할 만합니다

죽백(역사책)의 기록과 금석의 새김이

사실 도산, 유신, 태임 태사의 공렬(드높고 큰 공적)과

어짊을 견주고 덕이 같아 무궁하게 전하여 빛날 것입니다

생각건대, 신이 문장이 졸렬하여 만분의 일도 표현할 수 없으므로

영을 받으니 마음이 떨려 어찌할 바를 모르겠습니다

대개 부처를 숭배하고 절을 세우면 인과 응보의 법칙에 따라

원하는 대로 감응하지 않음이 없으며

널리 인간세계를 복되게 하여 넉넉하며 유익함이

한이 없이 한다는 부처의 말이

어찌 신의 언어와 문장으로 형용할 수 있겠습니까

그래서 여기에 대하여는 더 언급하지 않습니다

이상과 같이 권근의 정릉 원찰 조계종 본사

흥천사 조성기에 기록되어 있다

이성계는 능 옆에 작은 암자를 지어

조석으로 향 차를 올리게 하였고

흥천사가 완공되자 능과 절을 둘러보고

신덕왕후 소생 왕자들과 저녁 시간을 보내고

신덕왕후 능에 제 올리는 절의 종소리를 듣고 침소에 들었고

신덕왕후의 명복을 비는 불경 소리를 들은 후에 식사를 하였다

신덕왕후 승하 1년 후인 1397년에 비구 상총을 시켜

흥천사를 중창과 함께 향완을 만들어

왕후의 명복과 왕생극락을 기원하였다

태조원년 1392년에

신덕왕후 내향 경상도 진주목을 진양대도호부로 격상하였고

신덕왕후의 죽음에 슬픔 가득한 이성계는

1393년(태조 2) 9월 21일

신덕왕후의 본향 황해도 곡주를 곡산부로 승격하였다

1402년(태종 2) 12월 16일

방원은 신덕왕후의 본향을 곡산군, 내향을

진주목으로 격하시켰다

조정에서는 개국공신들의 헌의로

국모를 높인다는 뜻의 공신수릉제功臣守陵制를 채용하여

조선의 항식恒式(항상 따라야 하는 법)으로 삼았고

개국공신 이서李舒에게 수릉직을 맡게 하였다

왕후의 명복을 비는 원찰 흥천사를 1396년에 착공하여

1397년(태조 6년)에 170간의 규모로 지었고

경남 양산군 통도사에 신라 때부터 간직했던

석가여래의 몸 일부분인 사리 중 일부를 옮겨두고

흥천사 북쪽에 사리전을 건축하였다

이성계는 능 옆에 작은 암자를 지어

조석으로 향 차를 올리게 하였고

흥천사가 완공되자 능과 절을 둘러보고

신덕왕후 소생 왕자들과 저녁 시간 보내고

정릉에 재 올리는 종소리 들은 후 침소에 들었고

신덕왕후 명복의 불경 소리를 들은 후에 수라를 들었다

그 후 기제忌祭를 맞아 경복궁 내 강 씨의 처소를

인안전仁安殿으로 정하고 영정을 봉안하다가

이듬해 9월 정릉에 영각影閣을 지어 옮겼다

1399년(정종 1년) 기일에 흥천사興天寺를 원당으로 삼아

제사할 때에 태상왕 이성계도 참례하였다

흥천사

흥천사는 이성계가 신덕왕후의 명복을 비는 원찰로
1396년 착공하여 1397년에 건립되었다
1398년에는 왕명으로 절의 북쪽에 사리전을 세웠다
1403년~1480년에는 조선 초기의 고승 신미 대사가
세종의 명을 받아 한글창제를 도왔던 도량도 흥천사였다

1429년(세종 11)에 왕명으로 절을 크게 중창하고
1437년에 사리전을 증수하면서
흥천사를 정기적으로 보수하도록 하였다
조선시대 억불정책 아래서도 흥천사는
왕실의 지원과 장려를 받으며 법통을 이어나갔다
왕실의 제사와 왕족의 치병을 위한 기도가 이루어지고
가뭄에는 기우제를 지내기도 하였다

성종 이후 왕실의 지원이 줄면서 쇠퇴하여
1504년(연산군 10)에 화재로 전각은 소실되고
사리전은 화재를 피했으나 1510년(중종 5)에

유생들의 방화로 사리전 마저 화재로 폐허가 되어
흥천사 터는 대신들에게 분배되었다

1569년(선조 2)에 왕명으로 함취정 유지에
절을 옮겨 짓고 신흥사로 개명하였다

1794년(정조 18)에 현재의 자리로 옮겨 새롭게 중창하였다
(서울 성북구 흥천사길 29 / 돈암 2동 595)
1865년(고종 2)에 흥선 대원군의 지원으로
대방과 요사채를 짓고 절을 중창하여
사액현판에 대원군이 절 이름을 흥천사로 적어
옛 이름을 되찾았다

흥천사 범종

고려 말부터 중국 종의 요소에
한국 전통의 요소가 가미되어
높이 282㎝, 지름 170㎝, 두께 30㎝로 주조되었고
새로운 조선 전기의 종으로 정착되어
이후 만들어지는 조선 전기 범종의 기준이 되었다

1462년(세조 8)에 주조되어 중종 5년에 흥천사 화재로
경복궁 광화문으로 옮겨졌다가 창경궁으로 옮겨졌고
다시 덕수궁 광명전에 있다가 박물관으로 옮겨졌다

음통 없이 두 마리의 용으로 구성된 용뉴와
종신 중단에 2줄의 융기선 횡대를 갖추고 있다
불룩이 솟은 천판 외면에는
상대처럼 꾸며진 연판 문대를 두르고 있다
종신 상부의 횡대 조금 아래로
방형의 유곽대를 네 곳에 배치하였고
내부에는 연화좌 위에

돌기된 종유를 9개씩 장식하였다

유곽 사이마다 원형 두광을 갖추고

합장한 모습의 보살 입상이 부조되었다

종구에서 위로 올라온 부분에는

하대처럼 묘사된 파도문대가 장식되어 있으며

횡대와 문양대 사이에 돋을새김 된 명문에

왕실의 발원으로 세조 8년에

흥천사용으로 제작된 사실과

종을 제작할 당시의 수공업 분업상황과

직제를 자세히 기록하였다

1차 왕자의 난

태조 7년 정도전, 남은, 심효생이
태조가 병환으로 위험하다는 간계로
한 씨 소생 왕자들을 궁으로 불러들였다
모두 살해할 것이라는 박포의 밀고로
1398년 8월 25일 방원은 처남 민무구, 민무질과
이숙번, 조준, 하륜, 이거이, 박포와 함께
사병을 동원해 정도전, 남은, 심효생을 살해하고
자신의 목숨을 끊임없이 위협했던
신덕왕후의 소생 방번, 세자 방석
사위 이제까지 하룻밤 사이에 제거하여
강 씨 소생은 어머니 사후 2년 만에 어머니를 따라갔다
이날 영안군 이방과에게 세자 교지가 내려지고
다음 날 종묘에 고하였다

1398년 9월 5일 이방과가
경복궁 근정전에서 왕위에 오르고
이성계는 물러나 상왕이 되어 신덕왕후 죽음의 비통함과

그 자식들의 죽임으로 더해진 비통에
정도전마저 살해되어 상심한 끝에
왕위를 둘째 아들 방과(정종)에게 물려주고
강 씨를 그리워하며 정릉 곁에서 머물렀다

왕위에 오른 정종은 봉녕후奉寧侯 복근福根을 보내
생모 신의왕후 한 씨의 제릉에 고하게 하였다
절비 한 씨는 아들이 왕이 된 두 달 후 11월 11일에
신의왕후로 추존되어
별전 인소전仁昭殿에 봉안하여 왕비가 되었다

1399년(정종 1) 2월 1일 한식寒食에
어머니 신의왕후 제릉에서 직접 제사의 뜻을 알리니
신하들의 반대를 묵살하고 당일 이성계에게 알리고
송도의 유후사留後司(송도의 궁궐을 관리하는 관청)로 갔다가
2월 19일 한식에 제릉에 제사를 지낸 후에
1차 왕자의 난으로 피비린내 가득한
한양에서 개경으로 천도하였다

2차 왕자의 난

1399년 3월 정종은
한양의 터가 좋지 않다고 개경으로 천도하였고
정도전이 이방원을 제거하려 한다는 박포의 밀고로
1차 왕자의 난에서 많은 공을 세웠으나
논공행상에서 1등 공신에 오르지 못해 불평하다
죽주(竹州 : 충청북도 영도)로 귀양갔다

박포는 불만을 품고 있던 중 이방간이
이방원에 대한 불평을 하자
이방간의 거병을 선동하며 이방원이 장차
이방간을 죽이려 한다고 거짓 밀고를 했다
이를 믿은 이방간은 사병을 동원하여 개성 시내에서
이방원의 사병과 치열한 시가전을 벌였으나
끝내 이방원이 승리하여
이방간을 유배 보내고 박포는 사형시켰다

2차 왕자의 난으로 이방원을 반대하는 세력이 소멸되자

심복 하륜의 주청으로 방원을
1400년(정종 2) 2월 4일 세제로 책봉하였다

왕위에 욕심 없는 정종은 왕비 정안왕후의 권유로
방원에게 양위하여 1400년 11월 13일 송도 수창궁에서
방원이 조선의 3대 왕으로 즉위하니
태조 이성계는 태상왕, 정종 이방과는 상왕이 되었다

1401년(태종 1) 1월 25일에 명나라의 봉작제도를
종실의 봉작제도에 적용할 수 없다고
호號를 고쳐 방의 방간은 부대원군府大院君
후侯와 백伯은 급에 따라 부원군과 군으로 봉하였다
이때부터 왕비 소생의 왕자는 대군大君
후궁인 빈 소생의 왕자는 군君으로 봉하여
신덕왕후의 소생 방석과 소도군 방번은
공순군으로 격하되었다

숙종 6년(1680) 7월 27일에 방번은 무안대군撫安大君
방석을 의안대군宜安大君으로 추증하여 호號가 복권되었다

조선의 3대 왕으로 즉위한 태종 방원은
1402년(태종 2) 12월 16일에
신덕왕후의 본향을 곡산군, 내향을 진주목으로 격하하고
5년 후에 개경에서 다시 한양으로 천도하였다

태종 6년(1406) 4월 7일 이방원은 의정부의 청을 받아들여
정릉(정동) 일백 보 밖에 집을 짓게 윤허하여
세력 있는 집에서 다투어 좋은 땅을 점령하였는데
좌정승 하륜河崙은 여러 사위를 거느리고 이를 선점하였다
8월 3일에 고故 세자 이방석을 소도군
撫安大君 이방번을 공순군으로 격하하여
정비의 아들이 아님을 세상에 알렸다

이성계는 정릉 옆에 조성한 자신의 수릉에 묻히기를 원했으나

이는 신덕왕후 강 씨를 정비로 인정하는 일이어서

방원의 정치적 부담을 고려하여

고향 함흥에 묻어 달라 유언하였다

1408년(태종 8) 5월 24일 태상왕 이성계는

74세에 창덕궁 광연루 아래 별전에서

중풍 악화로 사망하였다

9월 7일 임금(방원)이 백관을 거느리고 빈전殯殿에 나아가

견전례遣奠禮를 행하고 영구를 받들어 발인하였다

9월 9일 임금(방원)이 영구를 받들어 건원릉에 장사하였다

이방원의 정릉 말살

방원은 태조 이성계가 중풍으로
창덕궁 광연루 별전에서 74세에 승하하자
1408년(태종 8년) 9월 25일(음 9월 16일)에
생모 한 씨를 왕태후로 격상하여
승인순성신의왕태후承仁順聖神懿王太后로 추상하여
정비로 승격하였다

이성계 사후 9개월 만에 방원은 도성 안 정동의
신덕왕후 정릉을 비밀리에 도성 밖 사한리에 천장하고
(경기도 양주군 성북면 사한리/서울 성북구 아리랑로 19길 116)
봉분 없이 무덤의 흔적을 남기지 말라고 명하였으니
중신 몇 사람과 노역한 사람만 정릉의 위치를 알고 있었다
신덕왕후를 후궁으로 격하시키고 파헤쳐질 때
하늘에서는 억수 같은 비가 쏟아지며 울음소리가 들렸다
사람들은 신덕왕후 원혼이 흘리는 눈물이라 하였다

방원은 서얼 금고령(서자는 관직에 오르지 못함)을 내려
서자는 관직에 오르지 못하도록 하였고

적서차별(서자는 적자에 차별받음)제도를 제정하여
두 명의 처를 가질 수 없는 조선의 법에 의해서
한 씨는 사후에 정비가 되고 강 씨는 계비로 전락하였다

방원의 적서차별 제도는 백성에게도 시행되어
적자와 서자의 구별이 엄격하였으니
서자는 아버지를 대감으로, 정부인을 마님으로 부르고
그 자식들은 도련님, 아가씨로 호칭하여 섬기며
평생 노예 아닌 노예로 살아야 했다

1410년(태종 10년)에 대상을 마친 태조의 신주를
태묘太廟에 부묘하여 생모 한 씨의 신주만 옮기니
강 씨는 정식 왕후가 아님을 세상에 알리며
정릉을 사대문 밖 사을한 곳으로 천장하고
(경기도 양주군 성북면 사한리/서울 성북구 아리랑로 19길 116)
정릉의 단장을 모두 철거하였으며
강 씨의 제사는 왕후가 아닌 후궁으로 격하하여 지냈다

정릉의 병풍석과 난간 석은 홍수로 무너진
광통교 복구에 사용하고 남은 석물은
주변에 묻어 백성들이 밟고 다니게 하였으며
헐어낸 정자각의 목재는 사신의 숙소로 사용하는
태평관 건축에 사용되었고
신덕왕후의 명복을 빌던 흥천사는 축소되었다

사한리에 천장된 정릉은 다시 한강 남쪽으로 쫓겨간
공현翠縣 뒤에 이장되어 왕비의 제례를 폐하고
봄가을 중월제(2월과 8월)로 격하하였다
1412년 기제는 서모나 형수의 기신제 예를 따라
3품관으로 제사를 대행하다가
세종대에는 신덕황후 강 씨의 제사가 친족에게 맡겨졌다

흥천사는 연산군 때 화재로 방치되어 있다가
정조에 의해 현재의 자리에 새로 지었다
(서울 성북구 흥천사길 29/돈암 2동 595)

정릉의 부활

정릉은 사람들의 기억에서 지워졌다가
신덕왕후 사망 200년 후에 덕원에 사는
신덕왕후 아버지 강윤성의 후손 강순일이
1581년(선조 14)에 임금이 행차하는 수레 앞에 나가
소인은 신덕왕후 부친 강윤성의 후손인데
국묘를 돌보며 제사를 받들고 있으나
군역에 징집되었으니 국묘 봉사자 직을 내려달라는
군역 면제 주청을 격쟁하여 알려졌다

신덕왕후 생전에 자신의 아버지 사대조고비四代祖考妣까지
무덤을 높여 국묘라 하고
한 사람씩 묘직을 두어 제사 받드니 군역을 면제하였고
태조의 부모를 비롯한 4대 조상의 묘가 함흥에 있어
국묘를 돌보는 봉사자의 군역을 면제해 주었다

그해 11월 삼사三司 중신들은 건원릉 비에
신의, 신덕이 열거되어 있고 강 씨가 차비로 서술되어

태조가 정한 강비의 시책諡冊에 칭송이 엄연한데
후대인들이 종묘의 신주를 폐하고 능을 옮겨
중대한 원冤을 남게 하는 것은 천리에 어긋난다며
신덕왕후의 시호諡號와 존호尊號를 복귀하고
정릉을 회복하자는 논의에서 출발하여
신덕왕후가 태조의 왕비인가 아닌가 하는 논쟁과
신덕왕후 강 씨의 능에 제사를 지내야 하는지
종묘에 신덕왕후의 신주를 모셔야 하는지의
문제까지 거론됐으나
능에서만 제사 지내기로 타협하고 공론 6개월 만에
신덕왕후 복위 문제는 무산되었다

신덕왕후의 능에서 제사 지내기로 하여 잊혀진
정릉의 기록이 없어 무덤을 찾지 못하고 있다가
변계량 문집에 수록된 신덕왕후의 축문에
도성 동북 모퉁이에 있는 산 아래 마을을 뒤져
200년 만에 정릉을 찾았다는 내용을 발견하였다

維幽明之故兮 理雖 一而 分則殊 神道貴乎 淸淨兮

유유명지고혜 이수 일이 분칙수 신도귀호 청정혜

豈前代之或誣綻諸古而迄今兮 無墓藏於 國之都禮官執此

기전대지혹무탄제고이흘금혜 무묘장어 국지도례관집차

而進言兮 大小臣僚與俱玆 福宅以靑鳥乎 得於 城之東北隅

이진언혜 대소신료여구자 복택이청조호 득어 성지동북우

水涓涓 而演樣兮 山靡靡而盤紆 置玄宅固基所兮

수연연 이연양혜 산미미이반주 치현택고기소혜

孰云近夫塵區 擇日吉餘告遷兮 羌致酒

숙운근부진구 택일길여고천혜 강치주

而一爽翼淑露之昭格兮 叙悲枕而嗚呼

이일석익숙로지소격혜 서비침이오호

- 변계량, 『春亭集춘정집』 부분

현종 대에 이르러 정통 명분주의로

유교 이념이 강조되며 예론이 크게 일어나자

강 씨의 부묘 문제가 대두되어 1669년(현종 10년) 2월에

판중추부사 송시열이 흥천사 기문이 갖추어있음을 지적하며

신덕왕후를 종묘에 배향해야 한다는 차자(간단한 서식의 상소)로

303년 만에 신주를 종묘에 봉안하고

9월에 강 씨의 기신제가 8월 11일로 지정되어

200년 만에 무덤 단장과 제사를 바로잡아 왕후로 복위하니

추진 기구인 부묘도감에서 예조와 함께

신덕왕후의 시호 제정 발의로

휘호 순원현경順元顯敬 시호 신덕神德

능호 정릉貞陵으로 정하였다

봉분 앞 장명등은 태조 당대의 것이고

나머지 석물은 종묘 복권 후 능침 재조성 시에 마련되었다

88년간 이어져 내려오던 논쟁이 끝나고

비로소 정릉은 200년 만에 왕릉의 상설을 갖추게 되었다

종묘에 신덕왕후 신주가 봉안될 때

정릉 일대에 많은 소나기가 내리니

신덕왕후의 원한을 씻어주는 비라며

백성들은 세원지우洗冤之雨라 하였고

신덕왕후의 원혼이 흘리는 눈물이라고도 하였다

1899년(광무 3년) 12월 9일 고종은

태조를 태조고황제로 추존하면서

강 씨를 대한순원현경신덕고황후大韓順元顯敬神德高皇后로

추상하였다

2009년 6월 30일

정릉은 유네스코 세계문화유산으로 등재되었다

신덕왕후 강 씨

조상은 고려 태조 외가 쪽 선조

본관 황해도 곡산

상산부원군 강윤성과 진산부부인 진주 강 씨의 막내딸

1356년(공민왕 5) 7월 12일(음 6월 14일) 황해도 곡산에서 탄생

1370년 이성계와 결혼(15세)

1396년(태조 5) 9월 15일(음 8월 13일) 한성부 판내시부사

이득분 사저에서 심근경색으로 40세에 사망

재세 1356년 7월 12일(음 6월 14일)~1396년 9월 15일(음 8월 13일)

재위 1392년 8월 7일(음 7월 17일)~1396년 9월 15일(음 8월 13일)

별호 현비顯妃, 강비康妃, 보령택주保寧宅主

휘호 순원현경順元顯敬

시호 신덕고황후神德高皇后

능호 정릉貞陵

능묘 정릉貞陵

태조의 정치적 조언자로 조선건국 전에

정부인 한 씨 사망으로

조선의 첫 번째 왕비가 되었다

1899년(광무 3년) 대한제국 고종에 의해

대한순원현경신덕고황후大韓順元顯敬神德高皇后로 추존되었다

배우자

이성계 조선 태조

재세 1335년 10월 27일(음 10월 11일)~1408년 6월 18일(음 5월 24일)

창덕궁 광연루 72세 사망

재위 1392년 8월 5일(음 7월 17일)~1398년 10월 14일(음 9월 5일)

신덕왕후 소생

무안군 이방번李芳蕃(1381~1398)

정명군 왕우(공양왕의 친형) 딸과 결혼

1차 왕자의 난에 이방원에게 살해됨

세자 이방석李芳碩(1382~1398)

1차 왕자의 난에 이방원에게 살해됨

경순공주慶順公主(?~1407)

흥안군興安君 이제李濟(고려말 권신 이인임 조카)와 결혼

이성계가 1차 왕자의 난에 사위가 살해되자

경순공주마저 살해 염려로

직접 머리 깎아 출가시켜 비구니가 됨

■ 참고문헌

『문화유적총람』 문화재관리국 1977

『한국사찰전서』 권상로편 동국대학교출판부 1979

『한국사를 움직인100대사건』 이근호, 박찬구 청아출판사
2011년 5월 30일

『왕비명후열전』 이범렬 도서출판 중앙 1982년 7월 10일

《성북마을 아카이브》 archive.sb.go.kr

◉ 위키백과

《정릉동》

《신천강 씨》

《신덕왕후》

《신의왕후》 우리 모두의 백과사전

◉ 다음백과

《태조》

《태조계비 신덕왕후 추상존호 옥책》

《신덕왕후》

한국민족문화대백과사전 한국학중앙연구원집필 박천식
1995년

⊙ 다음 블로그 광야사랑

《신천 강 씨의 역사를 바로잡자》

신천 강 씨 대종회보 제23호 운곡 강훈기

《신덕왕후의 본향과 외향》

신천 강 씨 대종회보 제25호 운곡 강훈기

《조선의 개국과 신덕왕후》

신천 강 씨 대종회보 제26호 운곡 강훈기

불교문예서사집

정릉마을

©박병대, 2021, Printed in Seoul, Korea

초판 1쇄 인쇄 | 2021년 07월 23일
초판 1쇄 발행 | 2021년 07월 30일

지은이 | 박병대
펴낸이 | 문병구
편집인 | 이석정
편   집 | 구름나무
디자인 | 쏠트라인saltline
펴낸곳 | 불교문예출판부

등록번호 | 제312-2005-000016호(2005년 6월 27일)
주   소 | 03656 서울시 서대문구 가좌로2길 50
전화번호 | 02) 308-9520
전자우편 | bulmoonye@hanmail.net

ISBN : 978-89-97276-52-3 (03810)
값 : 15,000원